KB076193

죽고 싶었던 여름

죽고 싶었던 여름

발행: 2024년6월10일
저자: 정세인
펴낸이: 한건희
펴낸 곳: 주식회사 부크크
출판사등록: 2014. 7. 15. (제2014-16호)
주소: 서울특별시 금천구 가산디지털1로 119 SK트윈타워A동305호
전화: 1670-8316
이메일: info@bookk.co.kr

ISBN: 979-11-410-8856-9

죽고 싶었던 여름

정세인

목차

죽고 싶었던 여름

미안합니다.
죽고 싶었지만 죽는 것이 무서워
그러지 못했고, 차가운 이 세상 속에 따뜻한
그 느낌에 익숙해져서
죽는 것이 무서웠습니다.

죽는 것에도 욕심이 있던 것인지
아프지 않게 가고 싶었습니다.
그래서, 죽지 못했나 봅니다.

죽는 것이 아프고 슬프다는 것도 압니다.
그래서 죽지 못했나 봅니다.

생각 해보니, 여름까지 기다리는 것도
괜찮을 것 같더라고요.

여름은 항상 미화되니까, 여름이 미화되지
않은 진실의 여름을 알아보고 싶습니다.

내 이름도 여름이니까요.

폭우와 폭염, 그리고
예쁜 여름

그래서, 예쁜 여름은 찾았냐고요?
아니요. 아직 겪을 폭우와 폭염이
많이 남아있거든요.

폭우와 폭염이 지나가면
예쁜 여름이 오겠죠?
나는 현실이 싫었고, 동심이 좋았습니다.
그래서 예쁜 여름을 꿈 꿨나 봅니다.

하지만 지금은 예쁜 여름을 현실에서
찾을 수 있을 것 같습니다.

조금만, 조금만 더 폭우와 폭염을 즐기다가
예쁜 여름으로 돌아가겠습니다.

항상 그랬던 것처럼

봄이 있는 동네에 간 여름

여름의 소리를 들었을까요?
어제 유독 하늘이 맑더라고요

봄이 있는 동네는 어떨까 하고 찾아가봤는데
역시 거긴 봄이 있어서 그런지
참 이쁘더라고요.

하늘은 어제 여름이 왔던 하늘처럼 파랗지요?
여름은 요새 시원하고 편안한 여름에
가까워지는 것 같아요.

참 다행이죠?
전엔 그렇게 사라지고 싶었던 여름이었는데
지금은 꼭 진실의 여름을 찾고 가고 싶다는
생각이 들어요.
여름을 찾다가 봄에게 돌아가겠습니다.

강줄기가 되도록 하겠습니다.

이제 곧 있으면 강줄기가 햇빛에
비춰져서 반짝거리는 날이 오겠죠?

내 여름도 반짝거리는 날이
왔으면 좋겠습니다.

여름이 와도 강줄기는 시원하더라고요.
여름에도 강줄기는 더위에 끄떡없이
시원합니다.

나도 더위에 끄떡없는
강줄기가 되고 싶습니다.
끄떡없는 강줄기가 되도록 하겠습니다.

아무도 신경 쓰지 않고 그저
제 갈길 가는 강줄기가 되도록 하겠습니다.

여름에게 우산을 씌워주고 싶었습니다.

상처를 받아도, 누군가에게 화를 내도
눈물이 먼저 나오는 여름이었습니다.

눈에서 소나기가 내리다가, 몇 분만 있으면
폭우가 내리던 여름에게 우산을
씌워주고 싶었지만

여름은 너무 컸고, 내 우산은
너무 작았습니다.

비를 맞으면 춥고 나중에 가면
아플 것이라는 도 알았는데, 여름이
너무 커서 우산을 씌워주지 못했습니다.
미안합니다.

바다, 널 닮고 싶구나.

바다야, 너가 참 부럽다.
너의 그 넓은 마음이 너무 부럽다.

바다야, 너는 그리 많은 생물들을
껴안고도 힘들지 않구나.
바다야, 너는 그리 큰 범고래가
너에게 뛰어들어도

물 한 방울 넘치거나, 힘든
내색 하나 하지 않는구나

나는 그리 많은 것을 껴안으면 너무 힘들어
눈물까지 넘치는데 너는
물 한 방울 튀기지 않는구나.

나도 너의 마음에 안기고 싶구나.
나도 너를 꼭 안아주고 싶구나

내가 안으면 물 한 방울뿐만 아니라,
파도가 넘쳐도 괜찮단다.
홍수가 나도 괜찮단다.

나도 시원하게 보낼련다.
나도 넓게 펼칠련다.

여름의 선율

먼저 악기는
바람소리
나무가 흔들리는 소리
매미소리

그리고 보정은 햇빛이, 이것이
바로 여름이라는 음악이다.

당신은 지금 괜찮습니까?

괜찮습니까?
오늘 하루도 절망하며 하루를
보내진 않았습니까?

괜찮습니까?
다른 사람이 생각없이 내뱉은 말에
소리 없이 울진 않았습니까?

괜찮습니까?
당신의 심장까지 도려내어서
세상에게 받쳤는데,
세상이 나를 인정해주지 않는 것 같아서
없는 심장까지 아프진 않았습니까?

당신은 지금 괜찮습니까?

순우리말

연인의 순우리말은, 그린내
바다의 순우리말은, 아라
하늘의 순우리말은, 마루

우주의 순우리말은, 한울
내일의 순우리말은, 하제
축복의 순우리말은, 비나리

사랑의 순우리말은, 너

멀리 보기

먼 미래에는 지금보다 더 무서울 거야.
나중에는 지금보다 더 두려울 거야.

아무리 힘내자 해도, 결국 너무 힘들어서
포기하는 일도 더 많을 거야.

사람들은 멀리, 더 멀리 보라고 하지만
그냥 여기만 봐도 괜찮아.
멀리 보지 않아도 괜찮아.

어떨 땐 그냥 가까이, 더
가까이 봐도 괜찮아.
어떨 땐 모르는 게 약이야.

바다 같은 삶을 꿈 꿨어.

가끔은 저 푸른 바다가 내 인생이면
좋겠다고 생각했는데, 그건 내 오해였나봐.

나도 저런 바다 같이 넓고 환한 인생을 꿈
꿨는데, 그건 내 오해였나봐.

아무 생각 없이 쉴 수 있는 바다가
내 인생이면 좋겠다고 생각한 건
내 오해였나봐.

밖에서 보면 푸르고 반짝이는 바다도 깊이
들어가면 어두워지는 것도 모르고 말이야.

그저 헛된 꿈이었네.

이게 여름인가요?

아무리 더워도 맑은 하늘을 보면
더운 것은 얼른 잊어버리고

매미소리가 어느 때와는 다르게
예쁜 소리로 들리고

별이 유난히 잘 들어
교실이 반짝 빛이 나고

바닷소리가 맑게 들리고
바다의 윤슬이 구슬처럼 빛이 나고

청춘을 한껏 느끼는 이것이
여름인가 봅니다.

의미 없는 순간은 아닐 것이라 믿어.

선풍기 바람을 느끼며
아무 생각 없이 벌러덩 누워있어도

이쁘게 창문 틈 사이로 들어오는
햇빛을 보고 있어도

밖에 나가서 아무 생각없이
목이 빠져라 하늘을 올려다보고 있어도

조금은 편안하게 있을 수 있으니까,
의미 없는 순간은 아닐 것이라 믿어.

가뭄이 온 마음에 비를 내려줘.

너무 울지 않고, 꾹꾹 참아서
마음에 비를 내린 지가 언제인지

너무 울음을 참아서
마음에 가뭄이 와버렸다.

마음에 비를 내리자.
펑펑 울어서 비를 내리자.

괜찮아, 잘 했어.
가뭄이 온 마음에 비를 내려주었잖아.

잘 했어, 고마워.

너의 재능은 곧 나의 재앙이다.

너의 재능은 곧 나의 재앙이다.

너의 재능이, 나를 처참히 부셔버리고
너의 재능이, 나의 심장을 도려낸다.

너의 재능은, 무섭고
너의 재능은, 공포이다.

너의 재능은, 바다처럼 깊고 넓다.
나의 재능은, 모래알처럼 작고 눈에 보이지 않은다.

너의 재능은 곧 나의 재앙이다.

햇살은 폭우에 가려졌다.

비가 넘쳐오는 폭우에
햇살은 가려졌고

비가 잠시 멈춰도, 먹구름 때문에
물웅덩이에는 햇살이 비춰지지 않는다.

하지만 여우비는 조금 다를지도 모른다.
맑은 하늘에 잠시 비가 내려서
비가 멈춘 후, 물웅덩이에는

맑은 햇살이 비춰진다.

여름을 붙잡고

떠나는 여름의 손을 붙잡고
가지 말라고 애원했지만

여름은
자연의 섭리라며 손을 내팽개치곤
잔인하게 떠났습니다.

자연의 섭리가 도대체 무엇이라고
여름을 떠나게 합니까?

도대체 그것이 무엇이라고
나의 행복을 빼앗는 것입니까.

이것이 소년의 트라우마다.

한 소녀가 다른 소년에게 말했다.
“내가 사라지면 어떨 것 같아?”

다른 소년은 답했다.
“모르겠는데?”

소년의 말이 끝나자,
소녀는 바다로 뛰어 들어갔다.
이것이 소년의 트라우마다.

겁먹지 마, 청춘이잖아.

무언가를 시도할 때
겁먹지 말자.

속상할 때
참지 말자.

상처받으면
보여주자.

겁먹지 말자, 청춘이잖아.

심장을 도려내어
바다에 던졌다.

나의 심장을 도려냈다.
너무 아팠지만, 끝까지 도려냈다.

심장을 도려내어
깊은 바다 속으로 던졌다.

그렇게 남겨두자.
나의 상처투성이인 심장을
깊은 바다 속에 남겨두자.

달을 좋아했던 해바라기

해만 바라보게 태어난 해바라기
해만 바라본다 해서 이름은 해바라기

사실 해바라기는 달을 좋아했습니다.
해바리기도 달을 좋아했지만
해만 바라보게 태어나, 달은 보지
못 했습니다.

밤이 되어도, 자꾸만 해가 있는 바닥으로
고개를 숙이는 해바라기

해바라기는 누구보다 달을 좋아했고
누구보다 달을 보고싶어 했습니다.

바다에 빠져죽은 파랑새

바다에 파랑새가 빠져 죽어 있었다.

자신의 털 색과 비슷한 바다에
공동체가 되고 싶었던 걸까?

파랑새가 원하는 대로 죽은 파랑새 다리에
돌을 매달아 묶어서 죽은 파랑새를
저 깊은 바다 속으로 가라앉게 했다.

파랑새가 원하던 것이었을까?

우리는 느림보 거북

느림보 거북
너무 느린 거북

난 거북이가 느리지만
그래도 난 거북이가 좋다.

거북이는 느리지만
목표가 있으면 무엇이든 해낸다.

우리도 느리지만 무엇이든
할 수 있는 거북

여름의 청춘

손에 든 아이스크림이 녹고 있지만
그래도 즐거워서 화도 나지 않는 여름

너무 더워서 땀이 나지만
그래도 즐거운 여름

맑은 하늘과 쨍한 햇살만 보면
사진을 찍고 싶어지는 여름

혼자 있는 것도, 함께 있는 것도
마냥 즐겁기만 한 여름

이것이 여름의 청춘인가보다.

추억, 또 발전

계속, 계속 발전하고 있어.
하루, 하루 발전하고 있어.

너무 힘들어서 다 놓고
포기하고 싶을 때

마음 속에 뭉쳐 놓은 추억을
꺼내서 펼쳐 봐.
그 추억을 보며 잠시 쉬어가도 괜찮아.

그럼 더, 발전할 수 있을 거야.

쉬어가도 괜찮을까?

아니, 안돼.
할 일이 많이 남아 있는데 쉰다고?
나중에 쉬어도 돼.

남들은 더 힘들 텐데, 내가 오버하는 거지.
내가 뭘 했다고 쉬어.
조금만, 조금만 더 하고 쉬자.

원래 이렇게 사는 게 맞는 거야.
죽어서 쉬어.
나중에 쉬어도 괜찮아.

내 신체들이 말했다.
괜찮아! 제발 쉬어, 너무 힘들어.

우울은 폭우다.

우울은 폭우다.

한 번 오면, 멈추지 않는 폭우처럼
우울도 멈추지 않는다.

억지로 막아보려고
우비를 입거나, 우산을 써도

그 폭우는 방향을 바꿔서 내린다.

굳이 왜, 라는 질문을 했어야 했나요?

내가 힘들다고 할 때
왜, 라는 말을 붙였어야 했나요?

내가 숨이 막힌다고 할 때
왜, 라는 말을 붙였어야 했나요?

"왜 그러는데?"
나도 모른다고요, 나도 이유 같은 건
모른다고요.

땀방울이 빗방울처럼 내릴 때

작은 땀방울들이 하나, 하나씩 모여서
뚝뚝 빗방울처럼 내릴 때

작은 땀방울들이 하나, 하나씩 모여서
뚝뚝 눈물처럼 내릴 때

갑자기 비가 내렸다.
여름아, 너는 나의 땀방울도 숨겨주는 구나.

아가, 괜찮니?

아가, 괜찮니?

너무 주저앉아 있진 않니?
너무 고개만 숙이고 있진 않니?

아가, 괜찮니?

힘들진 않니?
너무 속상하진 않니?

아가, 괜찮니?
아가, 아프진 않니?
아가, 울어도 괜찮다.

바람도 느끼며 살아.

뛰어다니며 느끼는 바람 말고,
앉아서 천천히 부는 바람을 느끼며 살아.

바쁘게 살고 있어서 바람도 느끼지 못하고
살고 있는 건 아니니?

쉬면서 천천히 부는 바람도 느끼며 살아.
넌 바람을 느끼며 살아야 하는 사람이란다.

이 세상은 너무 빠르다.

세상이 너무 빠른 것이다.
너가 느린 것이 아니고, 이 세상이
너무 빠른 것이다.

세상처럼 빠르게 살지 말라.
그냥 지금처럼 살아라.

세상에 맞출 필요는 없다.
느려도 괜찮다.
이 세상은 너무 빠르니까.

소리장치를 고쳐주세요.

소리장치를 너무 오랫동안 쓰지
않았나 봐요.

울 때도 아무 소리 없이 울어서
소리장치가 고장이 났나 봐요.

이젠 소리치며 울고 싶어도
소리장치가 고장이 나서 작은 소리조차
나지 않습니다.

소리장치를 고쳐주세요.
소리치며 울게 해주세요.

조용히 파도소리를 들어봅니다.

가만히 파도소리를 들어보니
정말 소리가 컸습니다.

바다의 울음소리 같은 그 파도소리가
너무나도 크게 들려서
바다가 소리치며 우는 것 같아서

바다는 자신이 많은 것을 품고 있는
것을 파도소리만으로 라도
보여주고 싶은 것이 아닐까요?

장마가 얼른 왔으면 좋겠다.

장마가 얼른 오면 좋겠다.
떨어지는 빗방울들 사이로 당신을
볼 수 있으면 좋겠다.

장마가 얼른 오면 좋겠다.
물웅덩이에 비춰진 당신을 보고싶다.

장마가 얼른 오면 좋겠다.
우산이 없는 당신에게 우산을 내밀고 싶다.

"우산 빌려줄까?"

당신은 분명, 나보다 좋은 사람일 것이다.

나보단
조금 더 성실하고
게으름 피우지 않으며,

다른 사람들에게 도움을 주며
영감을 주는 사람일 것이고,

다른 사람들에게 용기를 주고,
대단한 사람으로 여겨질 것이고

당신은 분명, 나보단 좋은 사람일 것이다.

잊어버리는 것도
어려울 수 있어.

당연하지, 어려울 수 있지
잊어버리고 싶은 것들을
잊어버리는 것도 어려운 일이야.

괴로운 것들을 잊어버리라고 하지만,
그것도 어려운 일이야, 당연히 어려운
일이지.

그런 괴로운 것들을 잊어버리고
오늘을 또 사는 너가 정말 대단해.

히비스커스

히비스커스의 꽃잎을
차에 우려서 천천히, 깊게 마신다.

히비스커스의 향이 내 몸
깊은 꽃에 베고, 또 베어서
내 마음까지 스며들게.

히비스커스의 꽃말
남 몰래 간직한 사랑

여름은 미화의 계절

하늘에서 내리던 비를
유리구슬로 바꿔주고

햇빛이 아무리 세게 비췄다고 해도
나를 비춰주었던 조명으로 바꿔주고

그저 집에서 선풍기를 틀어놓고 누워있는
이 기억도 멋지게 바꿔주는 것이
여름이겠지?

여름을 좋아할 수밖에 없는 이유

여름은 햇빛으로
어두운 나를 비춰주고

여름은 시끄러운 교실에
소나기를 내려서 아이들이 빗소리에
집중할 수 있게 해주고

여름은 나의 유일한 추억의 시발점이다.

나의 하얀 구두

처음엔 너무 이뻐보여서
자주 신고 다녀야지 하는 마음이었는데.

학교 갈 때, 딱 두 번 신고 나갔나?
그랬다가 아이들 눈치가 보여서
그 다음엔 못 신고 나갔는데.

조금만 더 신고 다닐 걸 그랬나?
신고 나가면 구두를 왜 학교에 신고 오나?
하고 생각할까 봐 많이 못 신어봤는데.

지금 생각하면, 신고 다녀도 괜찮았는데,
정말 아무도 신경 안 썼을 텐데.

사람들 눈치만 보다가, 정작 내가 원하는 건
못 했네.
조금만, 조금만 더
신고 싶었는데.

한여름날 장마

무더운 한여름날, 갑자기 비가 쏟아졌다.
그 비는 멈추지 않았고, 오랫동안
비가 내렸다.

그 장마가 이 무더운 여름을 데려가겠다고
소리치는 것 같았지만, 역부족이었다.

비가 오는 여름날은 덥고, 습하기도 했다.
하지만 자신이 더운 여름을 데려가겠다고
한 장마가 얼른 떠났으면
좋겠다는 건 아니었다.

오히려, 더 고맙고, 시원하게
느껴지기까지 했다.

장마야, 무리하지 마라.
너도 힘들 수 있지 않냐?
너도 쉬렴, 하다가 안되겠으면
포기하렴. 포기하는 것도 어려운 거야.

네잎클로버의 소원

사람들이 나를 발견해서
나를 없애 주었으면 좋겠어.

내가 없어지더라도
사람들 눈에 항상 네잎클로버가 보이면
좋겠어.

내가 없어지더라도
사람들에게 행운을
가져다주었으니까, 괜찮아.

사람들 눈에 항상 내가 보이면 좋겠다.

여름에 녹아버린 감정

어느 순간부터 땀이 너무 많이
나기 시작했다.

벌써 여름인가, 벌써 더운 날씨가 찾아왔나?
생각했지만 그 생각은 맞았다.
여름이었다.

땀이 너무 많이 났지만, 화가 나진 않았다.
그 땀이 녹아버린 감정의 잔해였을까?

아니, 미친 이게 왜 가짜야.

당신의 삶은 가짜입니다.

“미친, 이게 왜 가짜야.”
끝까지 부정했다.
하지만, 나의 삶은 진짜라는 것을 발견했다.

그 사람을 보면 또 보고 싶어지는 것
그 사람이 나에게 매일 웃어주면 좋겠는 것
그 사람을 보면 심장이 너무 빠르게 뛰는 것

이 삶이 가짜라면 느낄 수 없는 심장박동
소리가 나의 삶을 인정하고 있었다.

너의 눈물에 대한 나의 목적

당신이 나에게 그랬던 것처럼,
당신이 나에게 대했던 것처럼

나도 당신이 나에게 대한 것처럼
똑같이 해주는 것뿐입니다.
이런 식으로 당신을 저 땅 끝까지
잡아 내리는 것이 나의 목적입니다.

왜, 당신이 억울해하나요.
당신의 그 눈물은 원래 내 것이었습니다.

나의 증오감을 눈치채지 못하는
당신이 너무나도 답답하여
나의 눈물을 잠시 빌려준 것뿐입니다.

잊지 마세요.
그 눈물은 원래 내 것이었습니다.

그 눈물로 저 땅 끝까지 떨어지길

이 이야기가 당신이
아닐 것이라고 생각하나요?

티비 안에 갇힌 물고기

티비 안에서 보이는 저 물고기엔
전혀 생기가 있지 않아 보였다.

물고기는 금방이라도 죽을 듯이
힘이 차보였고, 말라 있었다.

눈에는 초점이 있지 않고
숨은 쉬고 있지만, 돌 위에
힘들게 누워 있었다.

티비의 화면은 꺼져 있었다.

순도 100% 여름

다시 부는 바람도 달콤하게 느껴지고

어두운 하늘에서 내리는 비도
습하지 않고, 시원하게 느껴지고

나무가 햇빛을 가려서 만들어낸
그늘도 이뻐보이는 이것은

순도 100% 여름